Cachinhos Dourados

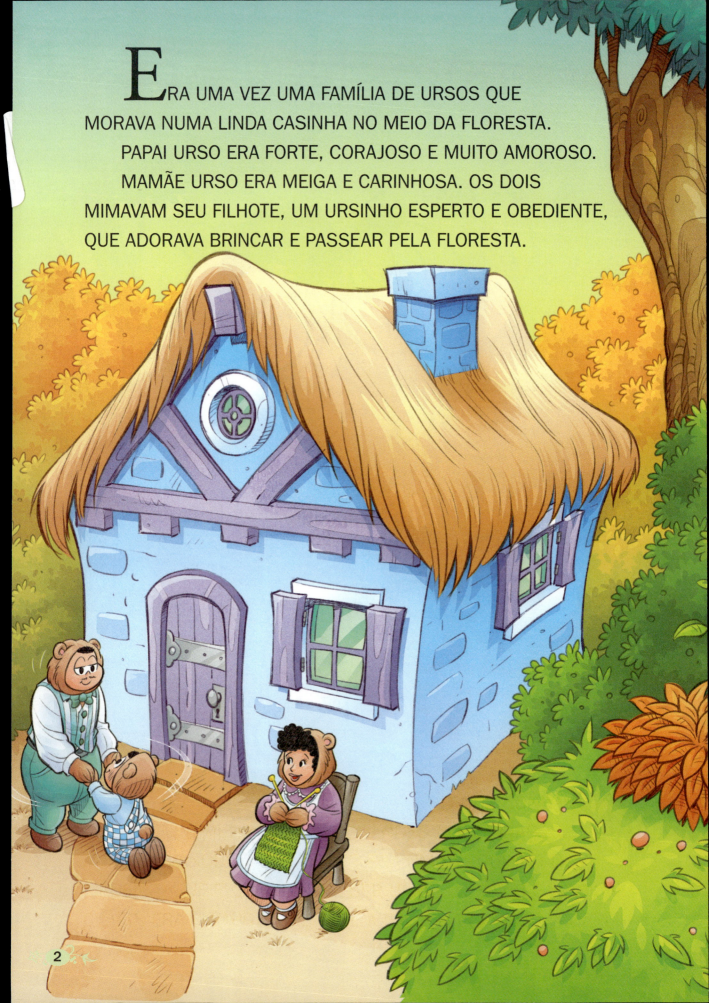

Era uma vez uma família de ursos que morava numa linda casinha no meio da floresta. Papai Urso era forte, corajoso e muito amoroso. Mamãe Ursa era meiga e carinhosa. Os dois mimavam seu filhote, um ursinho esperto e obediente, que adorava brincar e passear pela floresta.

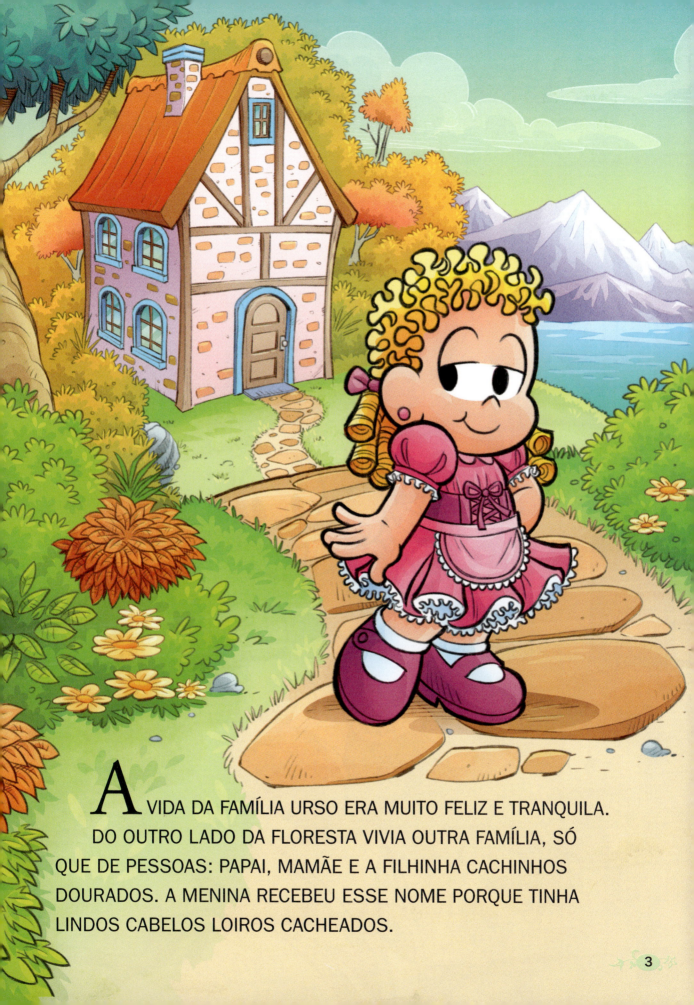

A VIDA DA FAMÍLIA URSO ERA MUITO FELIZ E TRANQUILA. DO OUTRO LADO DA FLORESTA VIVIA OUTRA FAMÍLIA, SÓ QUE DE PESSOAS: PAPAI, MAMÃE E A FILHINHA CACHINHOS DOURADOS. A MENINA RECEBEU ESSE NOME PORQUE TINHA LINDOS CABELOS LOIROS CACHEADOS.

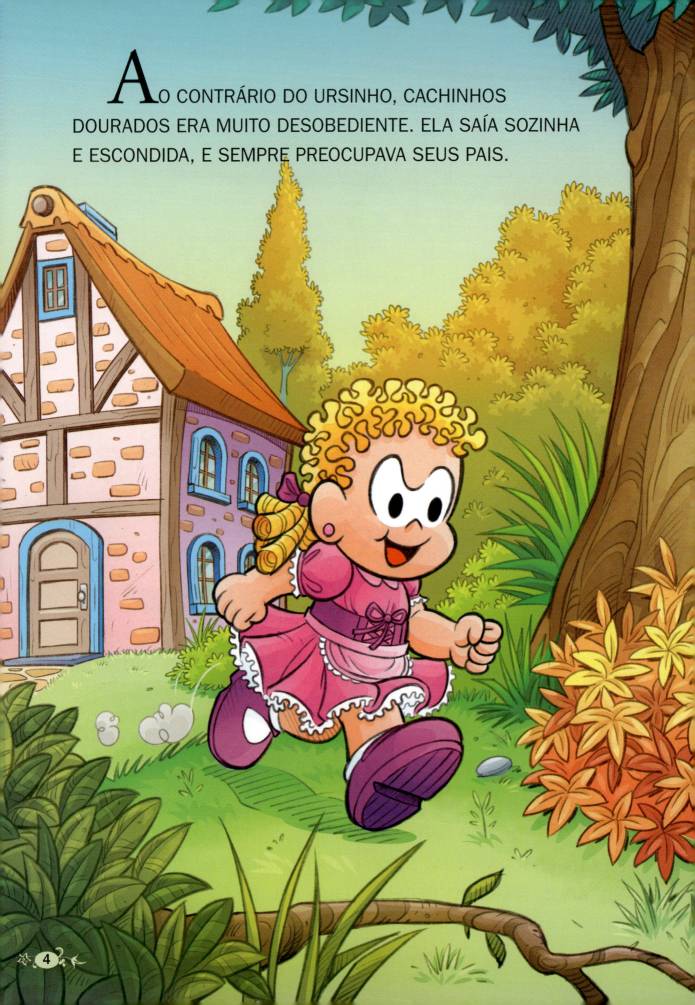

Ao contrário do ursinho, Cachinhos Dourados era muito desobediente. Ela saía sozinha e escondida, e sempre preocupava seus pais.

Certo dia, mamãe urso preparou um delicioso mingau de aveia e o serviu nas três tigelas da família. Mas como o mingau estava muito quente, os três ursos decidiram dar uma volta pela floresta. Eles pegaram seus casacos e saíram.

Naquele dia, Cachinhos Dourados decidiu conhecer a floresta. Os pais dela sempre diziam que era um lugar perigoso, com animais selvagens. Mas a teimosa menina não deu ouvidos. Após andar bastante, ela encontrou a casa da família Urso:

— Que casinha charmosa, não sabia que tinha gente morando na floresta.

Ela bateu à porta para pedir comida e um lugar para descansar antes da longa caminhada de volta.

Porém, percebeu a porta aberta e foi entrando.

Sentiu o delicioso cheiro do mingau e viu as três tigelas na mesa. Logo, ouviu seu estômago roncar e foi direto para a tigela maior, que pertencia ao Papai Urso.

AO PROVAR O MINGAU, A MENINA GRITOU:
— AI! ESTÁ MUITO QUENTE!
NA TIGELA MÉDIA, DA MAMÃE URSO, TAMBÉM RECLAMOU:
— ESTE MINGAU JÁ ESTÁ MUITO FRIO.
E QUANDO PROVOU DA TIGELINHA DO URSINHO DISSE:
— HUMMM... ESTE AQUI ESTÁ MARAVILHOSO, NEM MUITO QUENTE, NEM MUITO FRIO.
E CACHINHOS DOURADOS DEVOROU TUDO.

Depois, ela entrou na sala de visitas e viu três cadeiras: uma grande, uma média e uma pequena.

— Agora que comi, vou descansar um pouquinho.

A menina sentou na cadeira do papai e a achou grande demais. Experimentou a cadeira da mamãe e achou um pouco melhor, mas ainda sobrava espaço. Então, sentou na cadeira do ursinho e adorou. O problema é que ela era tão desajeitada, que quebrou a cadeirinha.

— ESSA NÃO! E AGORA, COMO VOU DESCANSAR ANTES DE VOLTAR PARA CASA? JÁ SEI! AS ESCADAS!

AO SUBIR, A MENINA VIU O QUARTO DA FAMÍLIA, COM TRÊS CAMAS: UMA GRANDE, UMA MÉDIA E UMA PEQUENA.

A MENINA DEITOU NA CAMA DO PAPAI URSO:
— AI, QUE CAMA DURA!
EXPERIMENTOU TAMBÉM A CAMA DA MAMÃE URSO:
— ESTA CAMA É MUITO MOLE!
MAS, QUANDO DEITOU NA CAMA DO URSINHO, DISSE:
— ESTA É PERFEITA! VOU DESCANSAR SÓ UM POUCO.
CACHINHOS DOURADOS LOGO CAIU NO SONO.

Quando a família urso voltou, o pai falou:

— Alguém esteve na nossa casa! Pior ainda: provaram o meu delicioso mingau!

Em seguida, mamãe urso disse, muito brava:

— Alguém também experimentou o meu!

E o ursinho choramingou:

— Alguém comeu todo o meu mingau! Buááááá!

Na sala de visitas, papai urso exclamou:

— Alguém sentou na minha cadeira!

Mamãe Urso falou:

— Na minha também!

E o ursinho, muito triste, reclamou:

— Alguém quebrou minha cadeirinha! Buáááá!

E o ursinho completou:
— Alguém está deitado na minha cama! Buáááá!

Cachinhos Dourados acordou com o choro do ursinho. Ao ver a família Urso ao seu redor, assustou-se e gritou apavorada:
— Ursos!

Ela correu sem parar até a sua casa, onde seus pais a esperavam preocupados. Cachinhos Dourados nunca mais foi desobediente e nem a família Urso precisou se preocupar com as travessuras da menina.

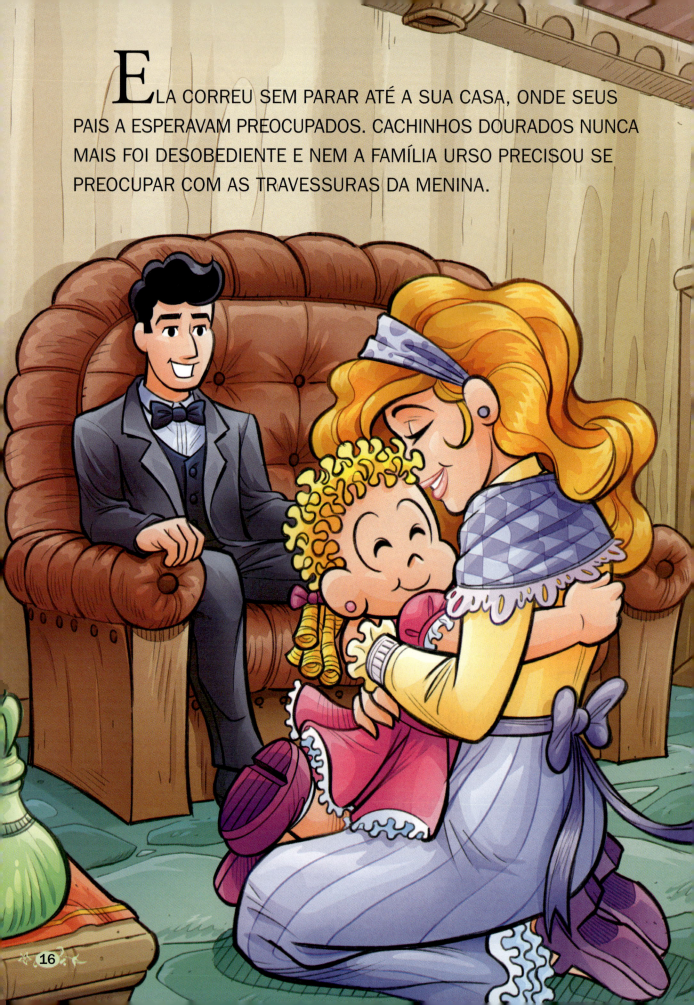